天才と狂気との関係について

―我が狂気―

堀江秀治

文芸社

私は「運命」と和解した

まえがき

まず標題から説明していく。

天才とはいわゆる才能のある人のことではない。才能のある人とは、人々と共通（たとえば国民、大衆等）の価値の中で抜きん出た価値（才能）を持ち、それを発揮するが故に人々から崇め、尊敬、羨望される人のことである。それに対し天才とは、人々の共通の価値とは異なる価値を生きるが故に理解されず——彼を人々（国民、大衆等）が天才だと崇めるのは、まったくの誤解であり——天才は一般に孤独、不遇の中を生きる。と言うより、天才自身が国民、大衆との間に価値の落差を感じるが故に、自ら彼らから遠ざかる。

次いで狂気に基づく天才であるが、狂気は精神病とは異なる。むろん天才とて単なるヒトであるから、精神病者と共通する面もあるが基本的には異なる。

なお、これはあくまで仮説であるが、狂気を持つ者（天才）は男（オス）に限られることである（これについては最終章で述べる）。

そして最後に「わが狂気」とは、私が狂気を持つ者であるが故に、「天才と狂気との関係」が分かったということである。

私が本書で取り扱うのは、ニーチェ、ランボー、三島由紀夫、プルースト、ポー、禅者（良寛）であるが、主にニーチェに焦点を当てる。その理由は読み進むにつれて分かってくると思う。

今一つ本書を読むに当たって無理な注文かもしれぬが（その理由は後に述べる）、常識的思考「私は考える」を外し「他者が考える」、つまり「『私』は一個の他者であります」（ランボー）、あるいは「主体（「私」）は虚構（嘘）である」（ニーチェ）の視点から見るよう心掛けなければ、本書は理解できぬだろう、ということである。

私が「無理な注文かもしれぬが」といったのは、西洋市民あるいはかつての武士は「私」の視点を持っていたから「考える」ことができたが、戦後の日本人はそれを持たぬ空っぽ頭だから、「考える」能力ゼロなのである。ただ「私は考える」と思っているだけで、実質「私たちは考えない」で「空気を読む」だけである。それはマッカーサーが自らを四十五歳のアングロサクソン族と称し、日本人を十二歳の少年と言ったことを意味するが、当然、十二歳の少年には、四十五歳のアングロサクソン族の頭の中は分からない。

さらに私が、常識的思考では分からぬと言うのは、本書がニーチェ同様の狂気の下に書かれているからである。

天才と狂気との関係について

第一章　日本人はなぜ考える能力ゼロなのか

戦後の日本人が「考える」能力がゼロなのは、やや本題から逸れるが、無駄ではないと思われるので記す。

まず西洋は古代ヨーロッパから戦争社会であった、という事実から始めるが、その前に、ヒトはなぜ戦争をするのかを、ざっと述べておく。

それは生命の起源にまで遡らねばならない。

宇宙は四次元（時空）世界であり、その膨張する（今日の宇宙物理学の視点では）宇宙に地球という惑星が存在し、そこに生命というものが生まれた。それは宇宙の膨張と係わりがありそうであり、それはあたかも「生命の意志」であるかのように進化によって「生を上昇」させてきた。ニーチェの言う「力への意志」である。

それは別言すれば、生命の世界は自己の生を上昇させるための、半ば食うか食われるかの闘争社会である。その進化のメカニズムは、生命体が環境から情報を取り入れ、それを個体内の記憶層の深部に蓄積し、その「情報の下降」を基《もと》に「生を上昇」させることによって、自らの個体（身体）を環境内で生き延びさせるために、進化してきたのである。生命は四次元世界でそのように進化してきた。

　そうした四次元生命体がサル（ヒトの起源）にまで進化し、さらに言語化によってそれが四次元身体を持つ人類（ヒト）にまで進化すると、同時にヒトは時間と空間（三次元）とから成る三次元身体（意識）を生きる存在となった。言い換えれば、四次元身体上に言語から成る虚構（嘘）としての三次元身体というものを生み出し、ヒトは時間と空間とから成る意識という虚構（嘘）の世界を生きる存在となり、そこにあたかも「私はある」かのような錯覚（虚構）の世界を生きることになった（この辺りのことは拙著『ニーチェを超えて』を参照）。

　このことは別の視点から見れば、それまでのサルの「生の上昇」の世界から、ヒトは虚構としての「価値（言語）の拡大」（三次元身体）としての意識の世界を生きる存在になった、ということである。しかし虚構としての三次元身体（意識）を生きるにしても、その身体は四次元身体の支配を強く受けている。つまりサルの本能（四次元生命）はヒトに進化することによって、本能的価値（四次元身体）としてそれを受け継いでいるのである。すなわち、それは食餌本能、生殖本能、闘争本能、群れ本能のそれぞれの価値である。ヒトはそれらの支配の下に生きているのである。それをニーチェの言葉で言えば次のようになる。

「君はおのれを『我』（三次元身体＝意識）と呼んで、このことばを誇りとする。しかし、より偉大なものは、君が信じようとしないもの――すなわち君の肉体と、その肉体のもつ大いなる理性（四次元身体）なのだ」（『ツァラトゥストラ』）。

ヒトは闘争本能的価値を持ち、その価値の拡大を生きるが故に、古代ヨーロッパは戦争社会となったが、問題はそれほど単純ではない。なぜならヒトは同時に群れ本能的価値を生きているからである。「群れ」とは「私たち」であり、「私たち」では「考える」ことはできない。つまり戦争社会であるにも拘わらず、戦争に勝つ（得《とく》する）ための「私は考える」ことができぬのである。そこでヨーロッパ人は無自覚にしろ、キリスト教を利用することによって、群れ本能的価値を衰退させる巧妙なトリックに思い至った。つまりキリスト教を疑似群れ宗教集団とし、その下に帰属する者は、その信仰によって永遠の命を与えられると共に、「私で考える」ことを可能にしたのである。これによってキリスト教徒は「私で考える」ことができるようになり、ヨーロッパは一層、戦争社会化していくことになった（戦争は、基本、得するために行われるものである）。

　このことは、ヨーロッパにおいて国家＝キリスト教＝「私」（市民）という関係を形作り、その思想は四次元身体の記憶層の深部（歴史的古層）に蓄積されることになった。つまりこの歴史的古層があって、はじめて今日の西洋文明がある、ということである。そして主にこの戦争（得する）社会における「私」化とキリスト教とによって近代資本主義が生まれ（これについては拙著『ニーチェから見た資本主義論』を参照）、この資本主義の富が市民に行き渡ることによって、近代民主主義が生まれたのである。

西洋において民主主義に行き着いたのは、それが戦争にもっとも強い（徴兵制による）政治思想だったからである（民主主義が平等だと言うのは、徴兵においてそうだというに過ぎない）。

これが日本になると事情は異なる。むろん日本人も闘争本能的価値を持っていたから、戦う人、武士が存在した。武士は西洋市民がキリスト教を神とすることによって、「私」を成り立たせたように、主君を神とすることによって「無私」の「私」（それはニーチェの言う「肉体のもつ大いなる理性」）を成り立たせた。それは明治維新、武士が天皇を現人神とした主たる理由である。つまり天皇が神であったから「私」が成り立ったのであり、それは明治天皇の死とともに乃木希典が殉死したのも、昭和天皇の人間宣言に三島が憤ったのも、彼らが武士だったからである。

ところが日本は、ガラパゴス的島国であったという点で特殊であった。つまりヨーロッパ戦争社会はそこが大陸であったから、国家間の侵略、略奪は限りなく行われ、敗れれば殺され、奴隷化された。従って国民は、否応なく戦う人（市民）にならざるを得なかった。従ってそもヨーロッパにおいて、殺人、強盗、窃盗等は単なる犯罪（損得の問題）であって、日本のように道徳的悪ではないのである。

それに対し、島国日本は自然豊かではあっても、同時に自給自足で生きていかねばならぬ運命にあった。つまり大陸と適度の距離があったから、外国との戦争は皆無といってよく、またその距離が大陸の文明、文化を運んで来るのに適度であったから、日本人はそれが自己に利益になるものであればマネ（真似）し、それを自己の価値の拡大になるよう工夫、洗練させていった。従って日本人は古代から「考える」能力を持たず、マネする能力だけを発達させ、それを四次元身体である記憶層の深部（歴史的古層）に蓄積する民族となった。とは言え、日本人も闘争本能的価値を持っていたから、中世、武士による乱世が起こることになる。彼らは戦争をする人々であったから、ヨーロッパ市民のように「考える」ことができた。

しかしそれも江戸時代二六〇年の太平によって、ほぼ決定的に「考える」能力はゼロになってしまった。今日の日本人の歴史的古層は、そのとき決定的に形作られたと言ってもよい。わずかに「考える」ことができたのは下級武士だけであり、彼らによって明治維新が成し遂げられたのは、皆の知るところである。その理由は、彼らが貧困という戦《いくさ》の中において、公《おおやけ》のために死ぬという、「無私」から成る武士道を維持できたからである。

しかし明治新政府を作った武士たちは、武士道の本質を解することなく、それを廃することによって――それも明治期頃までは武士の末裔が残っていたから、どうにか国家を維持できたが、その後――日本は大東亜戦争、その敗戦へと至るのである。そして戦後、「考える」能力ゼロ、マネ能力一〇〇の日本人は経済的繁栄へと至る。

正直、日本人は「考える」能力ゼロ、マネ能力一〇〇というよりもその区別ができない。つまり「考え」て得をすることと、マネして得をすることとがまったく別だ、ということが。

戦後、日本の政治・言論界の不毛さの本質は、マネして得をしようとしたところにある。それに対して経済の発展はマネして得をしたのである（その別が理解できぬのは歴史的古層が分かっていないからである）。

江戸時代に今日の日本人の歴史的古層（四次元身体である記憶層の深部）が決定的に形作られたとは、具体的にどのようなことであったかを記す。

問題となるのは、江戸時代の士農工商の身分制度である。この制度の意味は、ヨーロッパ大陸において侵略、略奪はある意味、仕放題であったのに対し、島国日本においては、支配者・武士は「村」人（農民）に食べさせてもらっている関係にあったから、一定の秩序があった。そのため「村」人は「逃げる」ことができ、逃げていさえすればよかったから「考える」能力がまったく発達しなかった。が、とりあえず、ここでは今日亡んでしまった武士は問題としない。問題は農工商という「村」人である。

日本は島国であるから「村」人（農民）は限られた土地しか与えられなかった。従って「村」人は土地の配分などに当たって、その談合において「おれが、おれが」という自己主張（「私」の意見）を言うことは、「村」の秩序の破綻に繋がるので許されなかった。そのため、談合は自分がどれだけ損《そん》をすることで、「村」の総意と妥協することができるか、という思考に行き着くことになった。つまり談合において、「村」の総意（それぞれが損をする）という談合の「空気」に従って、自分の意見を述べることになったのである。これがいわゆる「空気を読む」思考である。そしてその「空気」に従わぬ者、つまり「村」の掟（総意）を乱す者は、「村」八分にされ生きていかれぬ社会とした。すなわち、嘘、盗み等をする者は、「村」の秩序を乱すから、その掟を破ることは悪とされた。そしてそうした「村」社会が円滑に運んだ理由は、互いに損《そん》をすることを当たり前としているから、仲間意識としての「和」の思想が生まれたのである。言い換えれば、誰かが「考え」て得《とく》をする社会であれば、そこに妬《ねた》み嫉《そね》みが生まれ、嘘、盗み、誹謗等の「村」の秩序を乱す者が出てくる。しかし「村」社会は「考える」社会ではなく、従って時に「村」の秩序（掟）を乱す者が現れても、「村」社会はもともと戦争社会ではないから（損をする社会であったから）、「詫び」を入れれば「水に流し」て仲間に復帰できる社会となった。これがもし戦争社会であれば掟を破った者は法によって罰せられるが、「村」社会はもともと「考えず」損《そん》をする社会であるから、そこに復帰させるために「考え」させるための罰を与える必要はなかったのである。

そのように「村」社会には「和」（仲間意識）の思想があったから、労働にも共同体的共感性価値観が生まれ、過酷な労働の苦痛も和らげられることになった。日本人が勤勉に働くのは、こうした労働価値観が歴史的古層に蓄積されている結果である。

この事実は「村」社会においては、ヒトの持つ闘争本能的価値を退化させ、代わって群れ本能的価値を進化させることになった。つまり群れ本能的価値とは、「私たち」であるからそも「考える」ことができず、ただ「逃げる」だけである。そしてこの「逃げる」ことは生命（サル）の持つ「力への意志」（生の上昇）の視点から見るとき、それは草食動物的集団ヒステリーとなる。集団ヒステリーとは、ヒトであれば誰もが持つものであり、それはヒトの思考を超えた生命の本源に備わった「力への意志」（生の上昇）へのヒステリー性である（この辺りのことは『ニーチェを超えて』を参照）。この集団ヒステリーはこの外に、肉食動物的等の集団ヒステリーがあるが、中でも肉食動物的集団ヒステリーは、もともと肉食動物は獲物を「狩る」能力を持つものであって、西洋戦争社会における「私は考える」多くの市民、また日本で言えばかつての武士が持っていたものである。

そうであれば大東亜戦争とは、草食動物的集団ヒステリーに陥っている「村」

人が、武士によって俄肉《にわか》食動物的集団ヒステリーの教育を受けた結果、丸山眞男のいう「何となく何物かに押されつつ、ずるずると国を挙げて戦争の渦中に突入したということの驚くべき事態は何を意味するのか」(『超国家主義の論理と心理』)というある種の悲劇に至るのである。

そして戦前が悲劇であれば、戦後はある意味喜劇である。なぜなら日本人の歴史的古層は、相変わらず「村」社会道徳価値観であり、「私たちは考えない」草食動物的集団ヒステリーを生きているからである。

この意味するところは、そも彼らは「考える」ということができず、しかも草食動物的集団ヒステリーに陥っているから、なにかの弾み(たとえばGHQの流した「空気」)によって、どっと一つの方向に走り出すことになる。それが戦後の一連の左翼(西洋思想)運動であり、六〇年安保、全共闘運動等である。彼らはそれらをやらねばならぬ明証性のある根拠を歴史的古層に持っていない。ただGHQから与えられた「空気」が「村」人にとって得だったたから、左翼に走ったに過ぎない。

そのことは明治初期、日本を訪れたチェンバレンが、日本人の国民性として「知的訓練を従順に受け入れる習性」「付和雷同を常とする集団行動癖」「外国を模範として真似するという国民性」（渡辺京二著『逝きし世の面影』より）として挙げている事実と一致する。「私」を持たぬ日本人にはそれが分からぬだけのことである。

日本人（武士は除く）は「私たちは考えない」から、「私」の意見というものを持たぬ空っぽ頭の歴史的古層のままで明治維新、大東亜戦争敗戦後を生きてきた。「私」の意見（「考える」能力）を持たぬ空っぽ頭であるということは、そこをマネすることによって埋めるしかない。つまり戦前、軍国支配者によってそこを埋められていたものが、戦後それが否定されるとそこをなんらかのマネによって――なぜなら日本人は「考える」能力ゼロの空っぽ頭だから――埋めるしかない。それが戦後、西洋思想（左翼思想）全盛になった理由である。つまり日本人は「考える」ということができぬ以上、西洋思想をいいとも悪いとも判断できぬまま、それによって空っぽ頭を埋めるしかなかったのである。それは今も変わらず空っぽ頭を西洋思想で埋め、それを「村」人が談合するように「ああでもない」「こうでもない」と言っているだけである。

それは日本憲法についても言える。つまりそれは民主憲法ではなく、「村」社会談合憲法だったから、日本人はそれを支持しているに過ぎない。

西洋に近代民主主義国家が生まれたのは、それが西洋戦争社会における徴兵制に基づく、戦争にもっとも強い国家体制だと「考え」られたからである。つまり彼らの民主憲法は市民、軍隊、資本主義、キリスト教に支えられて国家を成り立たせている、ということである（それはアメリカを見ればよい）。

それに対して、日本の似非《エセ》民主憲法は、日本人の歴史的古層にある「村」人の「私たちは考えない」「逃げる」記憶層の深部（四次元身体）のそれに基づいている。だから「逃げる」「村」人にとって戦争も軍隊も単純に悪となり、しかも

「考える」能力ゼロだから、民主主義とはなにかを考えることもできない。ただ「逃げる」草食動物的集団ヒステリーの内にあるだけだから、日本人は日本国憲法（特に九条）を支持するのである。しかも彼らは集団ヒステリー状態に陥っているから、いかなる外部からの言葉も受け付けない。

これが戦後日本人の主流であるが、そんな中で唯一、武士の「無私」で「考える」ことができたのが三島である。彼が自衛隊市ヶ谷駐屯地でクーデター未遂事件（三島事件）を起こしたのは、武士としての「已むに已まれぬ大和魂」からである。

しかし国家意識のない日本「村」人には、なんのことやらさっぱり分からなかった。彼はこの事件の檄文の最後にこう言っている。「自由でも民主主義でもない、日本だ」と。この「日本だ」の意味は「天皇を中心とする歴史と文化と伝統を守ること」である。三島が直観として分かっていたのは、日本人の歴史的古層には、自由も民主主義もなく、それを言う日本人はアメリカを猿マネしているだけだと。そしてそれは「日本はなくなってしまう」という彼の危惧でもあった。

この日本人の「村」人意識は至るところに見出せる。その一つに日韓関係の悪化がある。

戦後、日本は韓国に資金面等で様々な「いいこと」もしてきた。「いいこと」とは西洋諸国なら決してしない、という意味である。まず、侵略したからといって、彼らは決して「謝罪」などしない。彼ら市民は武士と同じ発想の下を生きているからである。ところが戦後、「考える」能力を失ってしまった日本「村」人にとって侵略は悪であるから、それを謝罪によって「水に流そう」としたのである。西洋に限らず、外国では謝罪をすれば金を取られるのが当たり前だ、という常識が「村」人にはない。その結果、日本は金を払い続けてきたのだが、それは「村」人の歴史的古層にある、損《そん》をすれば「和」が図れるという思想があったからである。だが一向「和」は図れなかった。つまり韓国人は（に限らぬことだが）こう考えたのである、日本を叩けばいくらでも金が引き出せると。そして日本人もようやく、おかしいと気づき始めたようではあるが。

以上、述べてきたことは、すでに私が既述書で書いてきたことである。従って以下は、本書を初めて読む方のためのものである。

それはこれまで私もうんざりするほど述べてきたことだが、朝日新聞従軍慰安婦報道、また大江健三郎著『沖縄ノート』（岩波新書）が引き起こした名誉毀損訴訟の問題である。

私の頭にあり続けたのは、彼らはどうしてこれほど愚かになれるのか、そしてそんな愚かな新聞、作家、出版社の活字を喜んで読む日本人とはなんなのか、という問題だった（日本人が彼らを愚かだと認識できていれば、そも彼らは存在していない）。

結論を先に言おう。

それは日本人が歴史的にガラパゴス的進化（思想退化）をした結果、鳩並みの頭になってしまった、ということである。つまりこの国の人々の歴史的古層は士農工商であったものが、その士がいなくなった結果として起こったことである。

進化の逆は退化である。生命（特に動物）は闘争社会の中で進化してきた。サルから進化してきたヒトもその中にあり、それを闘争本能的価値として受け継いでいる。しかしヒトは同時に、群れ（「私たちは考えない」）本能的価値も受け継いでいるから、それだけでは「考える」ことはできず、闘争社会を有利に生きることはできない。

それについてはすでに述べたように、西洋戦争社会ではキリスト教を利用して、「私は考える」ことができたから、西洋文明は戦争に強かったのである。つまり「私は考える」とは、戦争社会のなかで思想進化した結果として生まれたものなのである。

ところが、日本は孤島といってもいいから、外国との戦争も明治に至るまではほぼなかった。ただ大陸から伝わってくる文明・文化をマネし、それを日本の風土に合わせて、洗練させたものに改めさえすればよかったのである。その結果、マネ能力は進化することになり、それが歴史的古層化されるに至り、すでに述べた、戦後日本の経済成長に繋がったのである。

そのことは、戦争をした武士以外はまったく「考える」能力を身に付けなかったことを意味する。つまり明治に至るまで、農工商という「村」人は一切「考える」能力を持たず、ただ歴史的古層にある「村」社会道徳価値観を「考える」ことだと錯覚していたのである。彼らは「考える」ということが、生命進化の食うか食われるかの世界で、生き残るためのものだということが、まったく入力《インプット》されぬまま今日に至ってしまったのである。つまりそれが、戦後武士のいなくなった「考える」能力ゼロの日本になったのである。

ところで、朝日新聞、従軍慰安婦報道とは『吉田証言』の下に、旧日本軍が済州島で慰安婦狩りをしたという話に基づいている。朝日新聞の愚かさは、軍隊は戦争をしに行くのであって、たとえそこに慰安婦の問題が生じたとしても、それは派生的なものであって、軍人は敵国にレイプをしに行くわけではない、という常識が鳩頭にはないことである。

　これは譬え話でいえば、吉田という人物が、某所でAという男が、Bという女性をレイプした、と言って警察に駆け込んだら、その話を信じた刑事が、そのまま検事に伝え、それを元《もと》に告発に至ったと言うような話である。むろんこんな馬鹿な刑事はいない。なぜなら、たとえAとBとから話を聞いたとしても、両者は利害関係にあるから、どちらの言い分が正しいか分からない。まっとうな刑事なら、当然レイプの起こった某所の聞き込み捜査をするはずである。なぜなら刑事は犯罪者と戦う人であり、従って「考える」能力があるからである。

　ところが、朝日新聞にはまったくその能力がないから、そうした考えも思い浮かばない。なぜなら、彼らの頭は「考える」ということが、どういうことかも分からぬほど思想退化してしまった結果、『吉田証言』を「村」社会道徳価値観でしか計れなかったから、それを悪と判断し報道したのである。

彼らがそこまで退化したのは、「村」人は西洋戦争（あるいは武士）社会とは異なり「逃げ」てさえいればよく、「戦う」ということをしなかったから「考える」能力がまったく発達しなかったのである。

しかし彼らは「われわれは権力と対峙している」と言う。だが、そういう頭を鳩頭というのである。いったい日本のどこに権力があるというのか？

早い話が、戦後日本は経済復興こそしたが、現実は終戦直後とほとんど変わっていない。相変わらず進駐軍（アメリカ軍）は居座り、アメリカ製平和憲法なるものを与えられてそれを守り、湾岸戦争に参戦しなければ彼らの機嫌を損ない、あげくに憲法九条の「戦争の放棄」を破らせても、イラク戦争に参戦させたのである。いったい自衛のための軍隊が、どうして外国へ派遣されねばならぬのか？それが現実なのであるが、鳩頭にはそれが分からない。つまり日本政府に権力など微塵もなく、日本国憲法など守るにも値しない、ただ張りぼて独立国家の体裁を保つためのお飾りに過ぎぬのである。すなわち、彼ら「村」人が歴史的古層にもつ、「長い物には巻かれ」、「勝ち馬に乗る」、要するに「逃げる」「村」人が、「棚から牡丹餅」式に手に入れた権力で、権力者と称する弱い者いじめ（自虐史観）をしているだけのことなのである。それは福沢諭吉が『学問のすゝめ』の「一身独立して一国独立する事」の項で、次のように言っていることに当て嵌まる。

「もとこの国の人民、主客の二様に分かれ、主人たる者は千人の智者にて、よきように国を支配し、その余の者は悉皆《しっかい》何も知らざる客分なり。既に客分とあれば固《もと》より心配も少なく、ただ主人にのみ依りすがりて身に引き受くることなきゆえ、国を患《うれ》うることも主人の如くならざるは必然、実に水くさき有様なり。国内の事なれば兎《と》も角《かく》もなれども、一旦外国と戦争などの事あらばその不都合なること思い見るべし。無智無力の小民等、戈《ほこ》を倒《さかしま》にすることも無かるべけれども、我々は客分のことなるゆえ一命を棄つるは過分なりとて逃げ走る者多かるべし。さすればこの国の人口、名は百万人なれども、国を守るの一段に至ってはその人数甚だ少なく、迚《とて》も一国の独立は叶《かな》い難きなり」

つまり戦後の日本人は、彼の期待を見事に裏切り、「逃げ走る」「客分」のままなのである。福沢自身は語らなかったが、「国を患《うれ》う」「主人」とは、自分のような「一身の独立」を志す武士の自覚を持たねば、とうてい「一国独立する事」などできぬ、といっているのである。

それを「村」社会道徳価値観を「考える」ことだと思っている鳩頭で、ただ西洋の猿マネをする彼らに、ジャーナリズムなど分かるはずもない。ジャーナリズムの起源は、西洋が戦争社会であったから、国民の得《とく》になる情報を命がけで（「逃げ走る」「客分」ではなく）報道することであり、従って必ず現場を自分の目で見、確実な情報を伝えることを使命とする。それは、ジャーナリズムの起源がマラソン（マラトンの戦での勝利を祖国に報告するために走死したこと）にあることを思い出せばよい。

朝日新聞はこの二つを怠ったのである。つまり彼らは、江戸時代の瓦版屋の歴史的古層を今も生きているのである（この情報を無視するというのは、戦前の「村」人から成る旧日本軍と同じである。「村」人に情報は必要ないからである）。

だから朝日新聞には常に誤報が付き纏う。これはかつて読んだか、聞いたか記憶は曖昧だが、和田という記者がポル・ポト政権を賛美していたのを覚えている。自分で現場を見ていないから、このようなことが起こるのである。

この従軍慰安婦問題は、報道されてから約二十年後、秦郁彦氏が『吉田証言』の現場となった済州島を実際に取材、調査した結果、それが虚偽であることが明らかになって、ようやく結着がついた。

が、それに対する朝日新聞の対応が振るっている。「記事に事実のねじ曲げない」と。報道機関ともあろうものが、「振り込め詐欺」に引っ掛かり――それがまったく自覚できぬほど、「考える」能力のないことを証明し――虚報を流しておいて、こうした台詞《せりふ》を吐くとは、まさに「馬鹿に付ける薬はない」の世界である。そしてそうした新聞を、有り難がって読む日本人も鳩頭だということである。

ちなみに戦後、進駐軍（主にアメリカ兵）の日本人女性に対する慰安婦、レイプは相当のものであったらしい（私の耳にも入ってくる位だから）。それに、彼らは道徳価値観を持たぬから、それらを悪だとは思っていない。そしてそれが日本で報道されなかったのは、進駐軍の検閲によるのか、それともジャーナリズムの怠慢（長い物には巻かれろ）によるのかは分からぬが、あたかも彼らが紳士的であったかのように見做されたのは、――むろんそこには、彼らの情報操作・統制があっただろうが――むしろそこには日本人女性の国民性（歴史的古層）があったからである。

それはある記者（?）が、そうした女性に「なぜ告発しないのか」と尋ねたところ、戻ってきた答えは「これ以上、恥の上塗りができるか」であったと言う（恥とは「村」社会道徳価値観である）。つまり日本人女性は韓国人女性と違って、自らの口を噤むことによって、慰安婦問題は起こらなかったのである。

さらに『沖縄ノート』裁判である（これも朝日新聞、従軍慰安婦報道と構図は同じである）。

これは大江氏が同書において、旧日本軍守備隊長・赤松が渡嘉敷島島民に「集団自決命令」を出したという全くでたらめな記述に対し、守備隊長が名誉毀損で、大江氏、岩波書店を訴えた裁判である。

まず大江氏、岩波書店が鳩頭なのは、彼らは何百年と「逃げる」「村」社会道徳価値観の中を生き、「考える」ということを一切してこなかったことが、彼らの歴史的古層から「考える」能力をまったく奪ってしまい、その結果、呆れるような「集団自決命令」などという妄想を生み出すことになったのである。彼らの頭には、世界のどんな馬鹿な軍人でも、集団自決命令を出すような者は一人もいない、という常識がない。つまり軍隊という所は、基本的に「殺す」か「殺される」かの二項しかない、という当たり前のことが考えられない。

そも集団自決命令など出して、軍隊になんの「得」があるのか、反撃されて命取りになるかもしれぬのである（当時の島民は手榴弾を持っていた）。

そうした頭は、すでに述べた福沢がまさか「無智無力の小民等、戈《ほこ》を倒《さかしま》にすることも無かるべけれども、……」が実際、大江氏、岩波書店に起こったということである。それだけでも十分鳩頭であるのに、氏は一切、現地の取材、調査を行わず『鉄の暴風』という書物を種本としたのである。しかもその『鉄の暴風』を書いた著者・太田氏自身が、曽野綾子著『「集団自決」の真実』の中で次のように語っているのである。

「この戦記（『鉄の暴風』）は、当時の空気を反映しているという。当時の社会事情は、アメリカ側をヒューマニスティックに扱い、日本軍側の旧態をあばくという空気が濃厚であった。太田氏は、それを私情をまじえずに書き留める側にあった。『述べて作らず』である。とすれば、当時そのような空気を、そっくりその儘《まま》、記録することもまた、筆者としての当然の義務の一つであったと思われる。／『時代が違うと見方が違う』／と太田氏はいう……」（傍点　堀江）

そこから読み取れることは、太田氏は紛れもなくアメリカの情報操作（洗脳）に引っ掛かっており、さらにそれを種本とした大江氏の描く「旧守備隊長の持っていたはずの夢想、幻想を、私の想像力を通じて描きました」世界は、もはや鳩ではなく蚤の世界である。

この裁判の中でキリスト教民主主義者であった曽野氏には、ジャーナリズムのなんであるかが分かっていた。氏に民主主義が分かっていたと言うのは、氏が『「集団自決」の真実』の中で「そして今もなお戦争ではなく、軍隊の存在そのものが悪であるという考え方ができるのは、世界で日本だけかもしれない」と言えたことである。

ジャーナリズムは戦争社会から生まれたものであるから、「空気」を基本とするものではなく、「情報」をそれとするものである。つまり戦争は空気でできるものではなく、情報が不可欠だということである。だから氏は、現地を取材、調査し、その結果を『「集団自決」の真実』で「『赤松が自決命令を出した』と証言し、証明できた当事者に一人も出会わなかった」と記したのである。当然の結果である。

それにも拘わらず、この裁判の裁判長・深見氏は原告・赤松の訴えを退け、大江氏、岩波書店を無罪にしてしまったのである。なんの証拠もなく、そういう判断を下すということは、日本人の「空気を読む」思考に基づくものである。要するに、日本のジャーナリズムは「村」人の噂程度であり、瓦版屋の世界なのである。

ところで、ここに一つの疑問が浮かぶ。なぜ渡嘉敷島島民は、集団自決に走ったのか、ということである。が、答えは案外と簡単である。

それは西洋人がキリスト教を利用することによって、群れ本能的価値を退化させ「私」化したのに対し、日本人はそれを維持したまま（戦争社会ではなかったから）「私たち」を生き、しかも「考える」能力ゼロで、「村」社会道徳価値観を生きていたからである。つまりこの集団自決とは、古来、日本に存在する一家無理心中の拡大版だということであるが、これ以上の論及は本書の意図ではないので、ここで止める。

ここまで書いてきて私が感じるのは、多分、読者には私の言いたいことが通じていないのではないか、という思いである。それに私は今まで朝日新聞、『沖縄ノート』に係わりすぎた——それらを論じないと先に進めぬという現実があったにせよ——という気がし、また私が単に彼らを非難しているようにしか、受け取られていないのではないか、という危惧があるのである（非難して問題が解決するならそうするが、問題はもっと深刻だということである）。

私の言いたいことを要約すれば、戦後日本の民主主義の不毛さは、「逃げ走る」「客分」の歴史的古層しか持たぬ「村」人がやっていることにある。つまり彼らは「考える」能力ゼロであり、ただ「村」社会道徳価値観を「考える」ことだと思っているから、ジャーナリズム一つを取っても滅茶苦茶なのである。

郵便はがき

料金受取人払郵便

新宿局承認

1409

差出有効期間
2021年6月
30日まで
(切手不要)

160-8791

141

東京都新宿区新宿1－10－1

(株)文芸社

愛読者カード係 行

お名前《ふりがな》		明治 大正 昭和 平成	年生
ご住所《ふりがな》	□□□-□□□□	性別 男・女	
お電話 番　号	(書籍ご注文の際に必要です)	ご職業	
E-mail			
ご購読雑誌(複数可)		ご購読新聞	新

最近読んでおもしろかった本や今後、とりあげてほしいテーマをお教えください。

ご自分の研究成果や経験、お考え等を出版してみたいというお気持ちはありますか。

ある　　ない　　内容・テーマ(　　　　　　　　　　)

現在完成した作品をお持ちですか。

ある　　ない　　ジャンル・原稿量(　　　　　　　　　　)

名				
上店	都道府県	市区郡	書店名	書店
			ご購入日	年　月　日

書をどこでお知りになりましたか?
.書店店頭　2.知人にすすめられて　3.インターネット(サイト名　　　　)
.DMハガキ　5.広告、記事を見て(新聞、雑誌名　　　　)

の質問に関連して、ご購入の決め手となったのは?
.タイトル　2.著者　3.内容　4.カバーデザイン　5.帯
の他ご自由にお書きください。
(　　　　)

書についてのご意見、ご感想をお聞かせください。
内容について

カバー、タイトル、帯について

弊社Webサイトからもご意見、ご感想をお寄せいただけます。

協力ありがとうございました。
お寄せいただいたご意見、ご感想は新聞広告等で匿名にて使わせていただくことがあります。
お客様の個人情報は、小社からの連絡のみに使用します。社外に提供することは一切ありません。

書籍のご注文は、お近くの書店または、ブックサービス(0120-29-9625)、セブンネットショッピング(http://7net.omni7.jp/)にお申し込み下さい。

つまりそれは、西洋市民は歴史的古層において「戦う」人であり、日本「村」人は「逃げる」人だ、ということである。前者は「考える」ことができたのに対し、後者は「考える」能力ゼロであり、「村」の「空気」で判断するからである。そんな「空気」で判断する人に民主主義など分かるはずもなく、彼らがやっているのは、外形こそ似ておれ実質は、「村」社会談合派閥主義である。そんな「村」人であれば、歴史的古層に国家を守るという意識はない。つまり愛国心そのものが分からない。それはすでに述べたジャーナリズムが分からず、そのことは延いては、政治家、言論人等の御粗末さに繋がる。従って、さらにその本質を掘り下げる必要を感じて以下を論ずる。

私は以前から述べていることだが、ヒトは生まれ落ちたとき空っぽ頭であり、その空白を躾、教育、宗教、社会慣習等によって――さらにそれらは広く地政学的、気候風土的条件の下に決定され――埋められた（洗脳された）世界で「考えている」と思っているに過ぎない。つまり私たちの思考はそのような条件の下に成り立っているのであり、私たちはそうした歴史的古層〈四次元身体、本能的価値〉に埋め込まれた言語〈価値〉に支配されているのである。それをさらにニーチェの言葉で言えば次のようになる。

「こうして、この『本来のおのれ』〈〈歴史的〉古層、四次元身体、本能的価値〉は常に聞き、かつ、たずねている。それは比較し、制圧し、占領し、破壊する。それは支配する、そして『我』の支配者でもある。／わたしの兄弟よ、君の思想と感受の背後に、一個の強力な支配者、知られない賢者がいるのだ、――その名が『本来のおのれ』である。君の肉体のなかに、かれが住んでいる。君の肉体がかれである」(『ツァラトゥストラ』)

この「本来のおのれ」は「肉体のなかに住む」ものであり、先に挙げた「肉体のもつ大いなる理性」と同じものである。つまり「私」〈「我という意識」〉は、「肉体のなかに住む『本来のおのれ』」、「肉体のもつ大いなる理性」〈〈歴史的〉古層、四次元身体、本能的価値）の支配下にあるということである。そしてその「肉体のなかに住む『本来のおのれ』」は、「それは比較し、制圧し、占領し、破壊する。それは支配する、そして『我』の支配者でもある」闘争本能的価値としての、「力への意志」である生における「戦う」ものであるから、自然、ヒトは生き残るために「考える」ようになったのである。

それに対して、日本「村」人は「逃げ」ていさえすればよかったから「考える」能力はゼロにまで退化し、ただ「村」社会道徳価値観という、「空気」さえ読んでいれば生きていかれたのである。そうであれば彼らの歴史的古層には「村」社会意識しかなく、そもそも国を守るという愛国心そのものが分からない。

つまり戦後の日本人に愛国心がないのは、ＧＨＱに洗脳されたからという訳ではなく、もともと日本人（「村」人）はそれを持っていないのである。彼らが戦前、勇猛にして無知に戦えたのは、彼らが鳩頭であり、「村」社会道徳価値観という強い「空気」の圧力の下にあったから、つまり「村」の掟に逆らえば「村」

八分にされ、事実上、生きていかれぬという歴史的古層があったから、彼らは半ばシカタガナイとして従軍したのである。と同時、彼らは鳩頭の十二歳の少年であったから、現人神、「生きて虜囚の辱めを受けず」、靖国神社等に容易に洗脳され、信じたのである。

そして戦後である。戦後もまた、アメリカを容易に信じるという構図になった(これは譬えとしては悪いが、主人から闘犬として躾けられた犬が負け、今度は新しい主人にペットとして育てられたことで、すっかり懐《なつ》いてしまったのと同じである。まさに忠犬アメ公の世界である)。

それは別言すれば、日本人は武士道を失い、ほぼ完全に「村」人の歴史的古層になってしまったから、「考える」能力ゼロの鳩頭化すると同時に、鸚鵡(マネ)化した頭になってしまったのである。従ってその空っぽ頭は、西洋思想への何の理解もなく、戦前同様にそこをそれで埋めていったのである。そんな猿マネ頭に、戦前の日本には、まだ優れた日本の思想のあった、ということも当然分からない。

それは「無」の思想である。

それはたとえば『日本の弓術』で、先生から弓術を学んでいたヘリゲルが述べているように、

「日本人はヨーロッパ人の物の考え方にまだ通じていない。ヨーロッパ人の問題の出し方にも通じていない。それゆえ日本人は、自分の語る事をヨーロッパ人としてはすべて言葉を手がかりに理解するほか道がないのだということに、少しも気づいていない。……日本人の論述は、その字面《じづら》だけから考えるならば、思索に慣れたヨーロッパ人の目には、混乱しているというほどではないにしても幼稚に見える」

ようなものとはまったく異なる。彼らがそう思うのには一理あるにしても（日本人は鳩頭の十二歳の少年だから）、と同時それはヨーロッパ人の傲慢さと無知によるものである。それは玉城康四郎著『仏教の根底にあるもの』の次のような記述、

「『無を考えてみよ』というが、そもそも無理な話である。ハイデガーは『無とは何であるか』という問いそのものがおかしい、という。無を問うのに、あるという仕方で提出するのは矛盾《むじゅん》ではないか、というのである」

というのは、無を知らぬ者の戯言《たわごと》である。

西洋は戦争社会であったから、有の思想で「考える」しかなかったのに対し、日本の風土は空っぽ、ないしは無の土壌であったから、西洋人が歴史的古層に持っている価値で、日本人のそれを計っても分からぬ、ということである。

さらに日本人にとって残念なことに、無の思想はもともと言葉で説明できるような性質のものではない。だからと言って、それはヘリゲルの言うような幼稚さに由来するものではない。日本人は戦争社会ではなく、空っぽの土壌を生きてきたから、西洋人のようにキリスト教を利用して「私は考える」必要がなかったのである。それに武士にしても禅者にしても、「考える」ことができればそれで十分だったから、その根底に横たわる無の思想を問う必要はなかったし、また日本人は西洋人と違って群れ（「私たちは考えない」）本能的価値を生きていたから、無のなんであるかを、そも「考える」ことができなかったのである。

そしてその答え（になっていないかもしれぬが）は、まったく予想外のところに見出されることになった。つまり、有の思想の土壌であるはずの、ヨーロッパから出てきたのである。

それが私が再三、ニーチェを取り上げる理由である。彼における無の思想は、「肉体のもつ大いなる理性」、「肉体のなかに住む『本来のおのれ』」という形で表現されている。

ただし一言付け加えておかねばならぬのは、取り敢えずニーチェの思想を無と言ったが、それはある意味正しく、ある意味間違っていることである。

ニーチェのそれは無ではなく虚無（ニヒリズム）だからである。

無とニヒリズム（虚無）との区別は分かりにくいかもしれぬが、無は四次元身体にまで、つまり原ヒトにまで進化を逆行（これを俗称、神秘体験と呼ぶ）させたものであるに対し、ニヒリズムは四次元生命にまで、つまりサルにまで進化を逆行させた世界であって、後者では四次元身体を生きるヒトは、価値の拡大ができぬという苦痛に陥ることになるから、ヒトは自らの価値を意識上に思想として生み出していくしかないのである。それがニーチェの（私の）生み出した諸思想造語である。

　そしてある意味、正しいと言ったのは、無もニヒリズムも進化を逆行させることでは等しいからである。無とニヒリズムとの違いは、一言でいえば（それだけではないが）どこまで進化を逆行させるかの問題なのである。そして、それだけではない、と言ったのは、西洋人は群れ本能的価値を失った「私」を生きているから、ニヒリズムにまで進化を逆行させてしまうことになる――健全な本能的価値を持っていないから――のに対し、日本人は群れ本能的価値を生きているから、そこまで進化を逆行させることはなく、無で止めることができたのである（だから日本人は禅を維持することができたのである）。しかも群れ本能的価値は「私たちは考えない」であるから、禅はついに言語としての思想を生み出すことはできなかった。そして私はその思想を、できる限り理論化しようと四次元身体、（歴史的）古層、本能的価値等の諸思想造語を生み出すに至ったのである。

　ところでニーチェのものにしろ、私のものにしろ、それらをニーチェの言う「意識にのぼってくる思考は、その知られないでいる思考の極めて僅少の部分、いうならばその表面的部分、最も粗悪な部分にすぎない」（『悦ばしき知識』）で考えても分からぬ、ということである。つまり彼の言っていることは「無意識（ニヒリズム）から意識を考えねば」意識にのぼってくる思考は分からぬ、ということである。それを誤解を恐れずに言えば、フロイトの無意識（ニーチェのニヒリズム）から意識を見上げたのが、ニーチェの思想だということである。しかしヨーロッパ人は意識から（日本人は「空気」で）しか意識下を見下ろすことができなかったから、フロイトの言う無意識には限界があり、ニーチェの思想（ニヒリズム）も理解することはできなかった。そしてニーチェの意識を見上げる視点（ニヒリズム）が「肉体のもつ大いなる理性」、「肉体のなかに住む『本来のおのれ』」でありそこから意識を見上げたとき、それは「表面的部分、最も粗悪な部分」ということになるのである。ニーチェが、このようにして「無」（四次元身体）を、ある程度定義できたのは、すでに述べたように、彼がニヒリズム（四次元生命）にまで、進化を逆行させることができたからである。その意味では、フロイトの思想は無意識を除けばつまらぬものである。これが一応、フロイトとニーチェとの関係である。

ところで禅の無とは、一言でいえば「私を捨てる」、つまり「無我」「無心」といったものであり、ここに武士道と禅との共通項がある。それは『葉隠』の「武士道といふは死ぬ事と見付けたり」とは、「私（の命）を捨てる」ということである。

つまり江戸時代、武士が戦争兵器としては使いものにならぬ剣の道に励んだのは、彼らがまったく無自覚に剣の修行によって、「無心」の「私」(「無私」)に――禅での身心脱落に――達することを、直観していたからである。

それはヘリゲルに弓道の先生が「(弓)術のない術とは、完全に無我となり、我《われ》を没することである。あなたがまったく無になる、ということが、ひとりでに起これば、その時あなたは正しい射方ができるようになる」と言っているのは、そのことである。しかしそれが分からぬヘリゲルは「無になってしまわなければならないと言われるが、それでは誰が射るのですか」と尋ねている。所詮、有(意識)の土壌を生きてきたヨーロッパ人には、無というものは分からぬのである。それはすでに述べたハイデガーの「『無とは何であるか』という問いそのものがおかしい、という。無を問うのに、あるという仕方で提出するのは矛盾《むじゅん》ではないか、というのである」からも明らかだろう。「無とは何であるか」と問うのではなく、意識(ある)を捨て素《そ》の肉体(四次元身体)となり、その肉体で肉体自身に問うのが「無」の思想である。

それは武士道においては、剣の修行ばかりでなく常住坐臥においても「私を捨てる」ことを教育を通して学び、また禅においては、座禅によって「無心」（私を捨てる）になることに励むのである。そしてようやく「肉体のもつ大いなる理性」、「肉体のなかに住む『本来のおのれ』」に達することができるのである。だが所詮、西洋人には無（虚無）は分からない。それをニーチェは、無とは完全に一致せぬにせよ、またその理解もなかったにしても、先に挙げた「肉体のなかに住む無（虚無）」の思想に行き着くことになったのである。

その証拠というと語弊があるかもしれぬが、彼がキリスト教を否定したのも、そこに理由がある。つまり西洋人はキリスト教を利用することで、群れ本能的価値を否定してしまったが、ニーチェは（その自覚はなかったが）ヒトとは力への意志に向かって、群れ本能的価値を含む四つの本能的価値を生きる存在だ、と言ったのである。しかしそうした彼の思想は、「私」を生きる西洋キリスト教文明の中では少しも理解されなかった。なぜなら、キリスト教がなければ西洋文明の持つ「私は考える」そのものが成り立たなかったから。

ところで、福沢は無自覚にしろ武士の無を直覚していたから、「考える」ことができたのである。そして西田幾多郎も無自覚にしろ、日本の思想が無にあることを直観していたから、彼は自らの思想の基点を無に置き、西洋哲学に挑んだのである。

しかし禅の無は所詮、定義のできぬ思想であるのに対し、西洋哲学は有（言語）のそれであった。そこには初めから無理があったのだが、彼は日本の思想が無にあることを直観できた思想家である。

そして戦後、武士道は亡び、禅思想も衰え、日本の思想の本質を理解できる者はいなくなった。つまり鳩頭の鸚鵡化である。だから三島事件を理解できた日本人は皆無といってよく、むしろ英国人記者・ストークス氏のように「三島の思いは、軽々に批判することはできない」という仕儀に至ったのである。

氏はなぜ三島の死を評価できたのか？　それは恐らく愛国心の問題と係わっているると思うので、それについて若干述べておく。

愛国心は、西洋人の間では常識的に善であるのに対し、日本人の多くは悪だと思っている。ケント・ギルバート氏は「なぜ日本人は『愛国心』にアレルギーを持ってしまったのでしょうか？」と述べ、それを主にGHQによる洗脳によるものだとしているが、そうでないことはすでに述べた。

西洋人がそれを善とするのは、彼らが戦争社会を生きてきたから、それを持って戦わねば国が亡びる、つまり自分の死に繋がるから嫌でもそれを持って戦わねばならなかったのである。すなわち、戦わずに死ぬよりも、戦って生き延びる可能性を選択したのである（彼らはそうした歴史的古層を生きてきたのである）。

多分、彼らは（ギルバート氏も）それ以上の答えは持っておるまい。それがストークス氏の三島への評価の根底にあるものだと思う。つまり国家のために死ぬ――私《わたくし》より公《おおやけ》を取る――というのが西洋思想の常識である。それはルソーが

『社会契約論』で「そして統治者が市民に向かって『お前の死ぬことが国家に役立つのだ』というとき、市民は死なねばならぬ」と言っていることからも明らかだろう。

それは武士であった福沢が「一身独立して一国独立する事」で、「逃げ走る」「客分」(「村」人)では、「この国の人口、名は百万人なれども、国を守るの一段に至っては」「迚《とて》も一国の独立は叶い難きなり」と言っていることと同じである。

だから戦後の日本は名目上、独立国ではあっても、真の独立国ではないのである。

日本の武士も西洋人の愛国心とほぼ同じものを持っていた。しかし西洋が戦争社会(市民社会)であったが故に、有の土壌になったのに対し、日本は無ないしは空っぽの土壌であったから、西洋のようにキリスト教という戦争宗教は発達しなかった。そのことは、一部の武士(戦争をする人)がキリスト教に走ったことが、キリスト教の本質を物語っている。そしてそれは、戦後の西洋かぶれの日本「村」人が、キリスト教に無関心であったことによって裏付けられている。

では、武士は――西洋人のようにキリスト教による永遠の命の保証もなく――どのようにして戦ったのか。それはすでに述べたように「武士道といふは死ぬ事と見付けたり」の根底にある「私（の命）を捨てる」という無の思想によって愛国（愛藩、愛領）のために戦うことができたのである。従って彼らのそれは、西洋の愛国心とは外形こそ同じであれ、内容はまったくと言っていいほど違っている。

しかし武士にその自覚がなかったから、明治維新とともに、武士という身分を廃してしまったのである。つまりそれによって、無に基づく愛国心の思想も捨ててしまうという自覚がなかったが故に、日本人から愛国心は次第に失われていき、戦後に至ってはほぼゼロになってしまったのである。

私は正直、戦後日本というものは、存在しないと思っている。しかし少なくとも、大東亜戦争に敗れるまでは日本は存在し、日本人も存在した。

そのことは、戦後日本が存在しないように、もはやこの土地に日本人は存在しないことを意味する。存在するのはアメリカ製日本人——しかも愚かな鳩頭は、アメリカが存在保証までしてくれると思っている——だけである。それを証明しているのが三島事件を理解できる人間が、もはやこの土地には存在しないことである。それは三島が檄文で言うように「国民の精神を失ひ……自らの魂の空白状態へ落ち込んで」いることを、自覚できる人間が存在しないことが明かしている。つまりこの国の歴史が終わったことが自覚できぬことによって、それは逆説的にこの国が終わったことを証明している。

第二章　天才と狂気との関係について

これまで書いてきたことは、これから述べることと決して無関係ではないので、敢えて長々と論述したのである。

重要なことなので繰り返すが、四次元生命（サル）が進化による言語（価値）化によって、それをヒトは四次元身体（〔歴史的〕古層、本能的価値、「肉体のもつ大いなる理性」、「肉体のなかに住む『本来のおのれ』」）化すると同時に、虚構（嘘）としての三次元身体（我という意識）を生み出すに至った。つまりヒトは四次元身体（「本来のおのれ」）に支配された「我という意識」から成る虚構（嘘）の主体（三次元身体）を生きる存在となったのである。ニーチェが「主体は虚構である」と言ったのはこのことである。

結論を先に言えば、天才とは「肉体のなかに住む『本来のおのれ』」（四次元身体）から「我という意識」（三次元身体）を見上げることのできる人である。これをフロイト風に言えば、「無意識」（ニーチェのニヒリズム（虚無＝「本来のおのれ」））から「我という意識」を眺めることのできる人であり、フロイトとは真逆の見方のできる人だということである。つまりフロイトに限らず（ヘリゲルにしろハイデガーにしろ）、西洋人は戦争社会を生きてきたから、理性（「私は考える」）の哲学、意識（「私はある」）の思想を生きてきたが故に、その呪縛――それ以外の思考法があるなどとは考えられない――から逃れられぬのである。確かにフロイトの無意識の発見は卓見には違いないが――残念ながら、彼は意識の思想でしか世界を見ることができなかったから――それ以外はガラクタになってしまったのである。つまり彼は、意識から理性によって無意識を見下ろすことしかできなかったから、ガラクタ化してしまったのであり、ニーチェのように無意識から、すなわち「肉体のもつ大いなる理性」、「肉体のなかに住む『本来のおのれ』」から意識を見上げることができなかった、ということである。その差は、ニーチェの言う「意識にのぼってくる思考」が、「極めて僅少の部分」「表面的部分」「最も粗悪な部分」だということがフロイトには認識できなかったから、無意識という卓見に至りながら、その外《ほか》の思想は御粗末なものになってしまったのである。

むろんニーチェにとって、そんな事はどうでもよいことである。ただ彼が言いたかったのは、生の本質（力への意志）から見たとき、西洋キリスト教文明そのものが「最も粗悪な部分」だということである。つまり西洋文明は「肉体のなかに住む『本来のおのれ』」である生を否定した文明だ、と言いたかったのである。それは彼が半ば嘲るように「キリスト教はプラトニズムの大衆版だ」と言っていることからも明らかだろう。

確かに彼の言う生は、「比較し、制圧し、占領し、破壊する。それは支配する、そして『我』の支配者でもある」ような「力への意志」への一面を持っていたが故に、そうした面がナチスに利用されたのも事実だが、しかし重要なのは、「君の思想と感受の背後に、一個の強力な支配者、知られない賢者がいるのだ、――その名が『本来のおのれ』である」ことである。つまり「我」（主体＝三次元身体）とは虚構（嘘）であり、その背後には「肉体のなかに住む『本来のおのれ』」（「肉体のもつ大いなる理性」、四次元身体、〔歴史的〕古層、本能的価値）という賢者がいることである。しかしそれが見抜けぬ西洋文明は「極めて僅少な部分」「表面的部分」「最も粗悪な部分」で考えざるを得なかった。彼らの文明は「我という意識」に支配された傲慢な、「我を誇りとする」文明なのである。

それはたとえば、彼らの文明は戦争に明け暮れ、あげくに原子爆弾を生み出すに至り、今更「核兵器のない世界」などと寝言のようなことを言い出していることにも見て取れる。なぜ寝言かと言えば、西洋文明（思想）の思考法が核兵器を生み出すに至ったのであり、その思考法の中にある限り、つまり西洋思想を否定し、新たな思考法を見出し、西洋文明という価値を新たな価値に転換しない限り、「核兵器のない世界」など訪れるわけがない、ということが彼らには分からない。

西洋人が意識（有）の思想を捨て「君の思想と感受の背後に、一個の強力な支配者、知られない賢者がいるのだ」ということ（無あるいは虚無〔ニヒリズム〕）を悟るまでは、「核兵器のない世界」など訪れることはないのである。そしてニーチェは天才だったからそのことが分かったが、戦争狂という凡夫・西洋人にそれが分かる日は来ないだろう。つまりニーチェは自らの思想を持ってその価値の転換を図ったのであり、その代表作『ツァラトゥストラ』を彼らが理解することはないだろう。

ところで「天才と狂気との関係」とは、ニーチェ、私からも分かるように、凡夫（日本人は凡夫にも入らない）に天才が理解できぬのは、彼らが「意識という表面的部分、最も粗悪な部分」（三次元身体）からしか世界を見ることができず（それがフロイトの限界であり）、「肉体のなかに住む『本来のおのれ』」（四次元身体、〔歴史的〕古層、本能的価値）から見ることができぬことにある。つまり天才のもつ狂気とは、「本来のおのれ」（四次元身体、無〔虚無＝ニヒリズム〕）

からの生の上昇を通して、意識という虚構の「我」（三次元身体）で発言するから凡夫には、天才の狂気の意味が分からぬのである。所詮、価値の脱落（三次元身体から四次元身体への脱落）のできぬ凡夫には、分からぬ世界である。

　さらに深掘りすると、天才も二種類に分かれる。天才の持つ狂気性を自覚して生きねばならぬ者（ニーチェや私）と、それを自覚せずに生きる者とである。どうしてそのような事が起こるのかと言えば、繰り返しになるが、「進化の逆行」によって意識が四次元生命（サル）にまで下落した場合が前者であり、後者はそれが四次元身体（原ヒト）で止《とど》まった場合である（どちらとも取れるランボーのような場合もあるが）。前者は、四次元生命（サル）にまで進化を逆行させてしまった中では、「我という意識」（価値）を生きることは、ヒトとしての生存が成り立たない。ニヒリズム（虚無）だからである。そこでニーチェや私のように、自ら価値の拡大としての思想を生み出していくしか生きる術《すべ》がないのが、サルにまで価値を脱落した場合である。それに対して後者は、原ヒトという四次元身体までの進化の逆行であるから、その「肉体のなかに住む『本来のおのれ』」の発言を意識（三次元身体）を通して行うだけでよいから、ニーチェや私のように思想を生み出さずに生きていかれたのである。

以下それぞれの天才に言及する前に、二つばかり注釈を述べておく。

一つはどのようにして「進化の逆行」（神秘体験）が起こるのか、ということである。それが起こる理由としては、一般に身体の虚弱さ、あるいは極度の肉体疲労による心身の衰弱、耗弱等によって起こると考えられる。なぜそれが進化を逆行させるのかと言えば、進化とは力への意志（価値の拡大）の方向になされるものであるから、それらの身体の不具合は価値の拡大への逆行であって、それが進化を逆行させる原因になると考えられる。

今一つは、狂人と精神病者との違いである。前者が進化の逆行によって「肉体のなかに住む『本来のおのれ』」（四次元身体、本能的価値）に達したのに対し、後者には進化の逆行は起こっておらず、単に無意識としての四次元身体、本能的価値を病んでいるに過ぎぬから、彼らが天才に成ることはないのである。

結論を言えば、天才とは「我」という「粗悪な意識」（三次元身体）を生きると同時に、「本来のおのれ」という「知られない『賢者』」（四次元身体）との劣と優との二重性を、後者の視点から見て生きる者だ、ということである。

その比喩とも言えるものを小説化したのが、ポーの『ウィリアム・ウィルソン』である。そこには、優のウィルソンと劣のウィルソンとが登場するという天才（狂人）の二重性が見られる。そして言うまでもないが、優のウィルソンが勝つことになる。彼は天才の特長である不遇な生涯を送ったばかりでなく、いまだアメリカ人の間では不評である。それに残念ながら、神秘体験を経験したという証拠はどこにもない。

それに対し、ある意味まったく対象的なのが三島である。彼は明らかに神秘体験を経験している。それは彼のほぼ処女作である『仮面の告白』に次のように記されている。

「五歳の元旦の朝、赤いコーヒー様のものを吐いた。主治医が来て『受けあえぬ』と言った」、そしてその書の冒頭で「永いあいだ、私は自分が生まれたときの光景を見たことがあると言い張っていた」と記しているのは、明らかに神秘体験者の証である。

彼はこの体験によって、無意識の内にも「肉体のなかに住む『本来のおのれ』」のもつ宿命を帯びてしまったのである。それが彼に『仮面の告白』を書かせた、と言ってもいい。つまり「仮面（虚構）の我」（三次元身体）と、「肉体のなかに住む『本来のおのれ』」（四次元身体）との二重性である。

むろん三島自身、その事実に気づいていたわけではない。ただ彼、本名・平岡公威（きみたけ）という文学好きで、真面目そうな（彼の若き日の写真を見る限りそう見える）青年が『仮面の告白』によって、恐らく予想外の好評——なぜなら同性愛を扱った異常な作品だから——によって一躍、文壇の脚光を浴び、その後もそうした異常な世界を描くことによって、文壇における確たる地位を築くに至った。と同時に、彼の真面目な悪ふざけも始まった。なぜ真面目な悪ふざけをしなければならなかったのか？　なぜなら、戦前にはまだあった「日本」が、戦後、失われ、――それが彼の「本来のおのれ」には「日本」が失われたと感ぜられたのだろう――彼は「私は戦後を鼻をつまんで生きてきた」ということになり、「自由でも民主主義でもない」（檄文）と、それを否定してきた人間にとって、小説を含めて自らの演ずる喜劇とも悲劇ともつかぬ演技に喜ぶ大衆を見て、「大笑い」するしか生きる術がなかったのである（彼は生前しばしば大笑いを見せたと言うが、平岡公威の写真からは想像もつかない）。

しかし彼は徐々に自分の本質である「肉体のなかに住む『本来のおのれ』」の存在に気づいていく。その一つがボディービルによる肉体の鍛練であるが、世間はそれを悪ふざけ程度にしか見なかった。そしてそれが自衛隊体験入隊、「楯の会」あたりになると、さすがに世間も首を傾げながらも、「考える」能力ゼロの彼らは安直に右翼化で片付けてしまった。

そも日本に右翼、左翼の対立軸などない、ということが戦後の空っぽ頭の日本人には分からない。それは単にヨーロッパから借りてきた安直な猿マネ思想であって、そこにあるべきは日本対西洋だということすら、考えることができない。なぜそんなことも分からぬのかと言えば、戦後「考える」能力のある武士（たとえば福沢）のような人間がいなくなり、ただ空っぽ頭の猿マネ人間しかいなくなってしまったからである。つまり大東亜戦争の敗戦によって、「空気」の流れが西洋に変わったから、戦後の「考える」能力ゼロの日本人は、――日本には無の思想のあることさえ分からず――西洋漬けになってしまったのである。そもプラトン、デカルト、ヘーゲル、マルクス、民主主義等が、日本人の歴史的古層となんの関係があるのか？（日本人の情けなさは限りを知らぬようである）

理論家ではなかった三島は――「肉体のなかに住む『本来のおのれ』」を無として認知できなかったが――無意識にもせよ、徐々にその「本来のおのれ」に目覚めていった（ちなみに、彼が関心を寄せた唯一の西洋思想家が、ニーチェであったことは偶然ではない)。そこに一人の天才的文学青年の数奇な運命の源があった。

彼が神秘体験によって、「本来のおのれ」に達したということは、それは同時に本能的価値(四次元身体)であるからして、そこに住む四つの本能的価値を無意識にも、自覚することになる。特に闘争・群れ本能的価値である。

戦後、草食動物的集団ヒステリーに陥っている日本人、つまり闘争本能的価値を退化させ、群れ本能的価値で生きている「考える」能力ゼロの日本「村」人には、ヒトは「肉体のなかに住む『本来のおのれ』」に支配された本能的価値の下に生きている、ということが分からない。すなわちヒトは、草食動物的集団ヒステリーから目覚めていけば、自然と闘争本能・群れ本能的価値のバランスの中を生きていくことになる。それが三島にあっては、神秘体験によって「肉体のなかに住む『本来のおのれ』」に目覚めることで、彼はその闘争本能的価値としての武士道、そしてその武士が群れ本能的価値として持つ武士集団としての国家(憲法）の意識に目覚めていくのは、ある意味自然なことである。そして戦後、日本「村」社会の中にあって、ただ一人武士であった三島は「鼻をつまんで生き」るしかなく、またそれを奇矯な振る舞いによってごまかすしかなかった。しかし彼の武士としての「已むに已まれぬ大和魂」は、なんとか再び武士の統治する、――「村」人にはできぬから――「天皇を中心とする国家」に戻すべく、暗愚な主君（国民）を諫めるべく「三島事件」を起こしたのである。しかし当然、暗愚な国民（「村」人）にはなんのことやら、さっぱり分からなかった。

むしろストークス氏のような「英国のサムライ」の方が理解を示したのである（なお、これまで度々取り上げたので、本書では扱わなかったが、『アーロン収容所』〈会田雄次著〉で英国軍の捕虜となった日本人将校〈「村」人〉の謝罪に対し、サムライである英軍中尉が「君は奴隷《スレイヴ》か」と憤る場面が描かれている。つまりそのことは、サムライは誇りを持っているが、「村」人はただ「逃げ走る」だけの存在であることを示している）。

それに新渡戸稲造著『武士道』が（これは西洋人向けに書かれたものであるから、日本のそれ〈無について触れていない〉とは異なるが）、日本書籍として西洋でベスト・セラーになったということは、彼ら戦争社会を生きる市民には、武士道が理解できたということである。

三島事件への日本人の無理解とは、一言でいえば天才への誤解と同時に、日本人が「村」人に退化したことの証でもある（彼の奇矯な振る舞いがそう思わせた面もあるが）。

そして次に述べるランボーも、その無理解と誤解とによる日本人の「空気」に基づく集団ヒステリーによる熱狂の下に置かれることになった。

ランボーも三島同様、文学少年であったが、彼は三島と違ってヨーロッパという理性（「私は考える」）の哲学、意識（「私はある」）の思想の土壌の下に生まれた。彼はその風土の中で詩を書き始めるのだが、その少年時代、彼は何度かパリへ放浪の旅に出ている。彼が神秘体験（進化の逆行）を経験したのは、その過酷な旅による肉体的極度の疲労から来る精神の衰弱、耗弱によるものではないか、と思われる。それにより、彼はヨーロッパの価値観を脱落（消失）し、「肉体のなかに住む『本来のおのれ』」に達することになり、そこから「私という意識」を見上げたとき、「『私』は他者を生きている」と直感したのである。

　それを彼は「『私』は一個の他者であります」と手紙に記し、さらに別の手紙では同様のことを述べた後、次のように記している。

「『詩人』はあらゆる感覚の、長期にわたる、大がかりな、そして理由のある錯乱を通じてヴォワイヤンとなるのです。あらゆる形式の恋愛や、苦悩や、狂気によって、彼は自分自身を探求し、自分の内部に一切の毒を汲みつくして、その精髄だけをわが物とします。それは完き信念、超人的な力、を必要とするいうにいわれぬ呵責であって、そこで、彼はとりわけ偉大な病者、偉大な罪人、偉大な呪われ人となり、――そして、至高の『賢者』となるのです！――なぜなら彼は未知のものに達するのです！」

ここで言うヴォワイヤン（見者）とは、ニーチェの「肉体のなかに住む『本来のおのれ』」と同じ視点のものである。それにより、彼はヨーロッパの価値を脱落し、虚無（無）に達したことで、「恋愛や、苦悩や、狂気」を通じて「一切の（ニヒリズムという）毒を汲みつくす」ことによって、彼は「偉大な病者、偉大な罪人、偉大な呪われ人」となったのである。

これはドストエフスキーが『悪霊』で描いた主人公・スタヴローギンの神（キリスト教）の支配から脱した完全な自由の苦痛（ニヒリズム）であると共に、それはニーチェの「知られない賢者」同様に、ランボーも「至高の『賢者』」となり、「未知のもの（『本来のおのれ』）に達する」ことになったのである（日本人には神の支配を脱した完全な自由の苦痛というものが理解できない）。

そしてそれは同時に彼に、一瞬、自分が新しい詩の境地に達したと思い込ませ、「イリュミナシオン」等の訳の分からぬ――なぜなら、世俗の価値を脱落してしまっているのだから――詩を書かせることになったのである（彼の『地獄の季節』が一般読者に理解できたのは、それが自伝詩だからである。小林秀雄がいい例である)。

が、彼の炯眼——と言うより「肉体のなかに住む『本来のおのれ』」——は、すぐにそれが実につまらぬ、無価値なものであることに気づいてしまう。それは当然で、彼の禅問答のような詩は、意識の世界から見たとき、ほとんど意味を成さなかったからである(そんなものに熱中するヨーロッパ人の頭もどうかしている)。と同時に彼の「未知のものに達」した炯眼は、「肉体のなかに住む『本来のおのれ』」を失っているヨーロッパ・キリスト教文明の無価値さにも気づいてしまう(だが彼はそこでニーチェのように思想することはなかった)。彼はそれらの理由をもって、弱冠二十歳にして詩を放棄すると共に、ヨーロッパをも捨てアフリカへと旅立ったのである。

プルーストもランボーと同じ土壌に生まれた文学青年である。彼が神秘体験を経験することになったのは、肉体的虚弱さからである。

その体験は彼の『失われた時を求めて』に次のように記されている。

「マドレーヌの一片が浸されてやわらかくなっているお茶を、ひとさじ、機械的に、唇にもっていった。ところが、お菓子のこまかいかけらのまじった一口のお茶が、口蓋にふれた瞬間、私は身ぶるいした。何か異常なことが私の内部に起こっているのに気づいて。それはなんともいえない快感が、孤立して、どこからともなく湧き出し、私を浸してしまっていた」

彼も「肉体のなかに住む『本来のおのれ』」に達したのであるが、ヨーロッパにそれを理解できる思想はなかったから、それは取り敢えずフロイト風に「無意識的記憶」と名づけられたのである。しかしそれはプルーストの（歴史的）古層（「肉体のもつ大いなる理性」、四次元身体、本能的価値）から、生が上昇することで記憶層を通過し、意識の表面に現れた記憶によって書かれた書物なのである。

彼もランボー同様に天才扱いされたが、ほとんど理解されていない。それは意識の思想から抜け出せぬ、ヨーロッパ人の未熟さ故である。

最後に禅者であるが、これについてはすでに無の思想で述べたので、ここではそれを補う形で（ただし重要なところは重複させた）言及する。

禅は世俗の価値を身心脱落することによって解脱しようとするものである。そしてそれは座禅という修行によって、禅定《ぜんじょう》（これは必ずしも禅だけに限るものではなく、修験道などでも行われる）の無（神秘体験＝進化の逆行）に至ることによって達せられるものである。禅定の無とは、座禅によって目覚めながらも意識を脱落（消失）し、無になることである。それによって世俗の価値を脱落し、本能的価値（四次元身体、古層）だけを残して、ニーチェの言う「肉体のもつ大いなる理性」、「肉体のなかに住む『本来のおのれ』」に達することであるが、無がニーチェの虚無（ニヒリズム）と決定的に異なるのは、日本人は群れ（「私たちは考えない」）本能的価値を生きているから、身心脱落によって「進化を逆行」させても、「私は考える」を生きる西洋人と違って、ニヒリズムに陥ることはなく、従って無に達しても、ニーチェのようにそれを思想言語によって表すことはできない。ただ「私は考える」と定義できずとも、武士道の無のように「無私」となって「考える」（これは言うまでもなく「肉体のなかに住む『本来のおのれ』」で考えている）ことができれば、それだけで十分だったから、彼らは西洋人のようにそれを理論化する必要を覚えなかった。つまりニーチェの「知られない賢者」、あるいはランボーの「至高の『賢者』」となって、「未知のものに達」することができさえすればよく、それを言語化する必要性を覚えなかったのである。

そもそも禅定の無に達するとは、たとえば夕刻、禅定に入り（無になり）、気づいたら夜が明けていた、というようなものである。これを聞いたある凡夫は「眠っていたんだろう」と言った（西洋人ならさらに笑ったかもしれない）。

そこで天才は考える、仮に眠っていたとして、眠るとヒトはなぜ無になるのかと。世間の人の答えは「人間はそのように作られているのだ」としか答えられぬだろう。しかしそれは科学的解答でもなければ、また哲学者がしばしば口にする「哲学するとは、世界を驚きをもって見ることだ」という見方にも反する。

実は睡眠の無も（夢を見ることを除けば）、禅定の無も、四次元身体になることでは同じなのである。

ヒトが禅定に入るとは、「意識にのぼってくる……その知られないでいる思考の極めて僅少の部分」、「表面的部分」、「最も粗悪な部分」を身心脱落（進化の逆行）によって無（四次元身体、「肉体のもつ大いなる理性」）化することである。つまり無とは、意識を脱落することによって「知られない賢者」「至高の『賢者』」になることである。

それに対し睡眠の無とは、ヒトはサルから言語（価値）化することによって三次元身体（意識）化する、つまり価値の拡大を生きる存在となったが、睡眠時は休息時であるから、価値の拡大を図る必要がなく、従ってサルの四次元生命から、ヒトの四次元身体への間ではほとんど進化しなかった。唯一異なるのは、ヒトが夢を見ることであるが、それは睡眠から覚醒に至ろうとするとき（睡眠の深度が浅くなったとき）、古層（四次元身体）からの生の上昇が、記憶層を通過するとき、その言語情報が無作為に――なぜなら睡眠時は休息時であるから、価値の拡大を行う必要がないから――意識上に現れるのが夢である。フロイトは神秘体験の経験もなく、あくまで「意識」の思想を生きていたから、ニーチェの「本来のおのれ」が認識できず、その結果として、あたかも夢に意味があるかのような過ちを、犯すことになったのである。

禅の無についてはこれ位であるが、禅定に入り悟りに達するとどうなるかについて、良寛の逸話を例に述べてみる。

彼は人から、銭を拾うことは嬉しいことだ、という話を聞き、それなら自分もやってみようと、懐《ふところ》から銭を取り出し、それを道端に投げ、それを拾ったのである。何度やっても彼は少しも嬉しさを覚えなかった。どうしてなのか彼には分からなかった。彼は完全なまでに世俗の価値を脱落し、愚者（賢者）の世界に入ったのである。禅の悟りとはこうしたものである。

第三章　男（オス）はなぜ戦争をし、レイプをするのか

　これはあくまで仮説である。仮説という意味は、必ずしも私の肉体の経験から導き出されたものではない、という意味である。唯一の思想的根拠は「生命の意志」の持つ力への意志（生の上昇）に基づく集団ヒステリー性である。つまり生命が持つであろう狂気とでも言うべき「生命の意志」の帯びる生殖的集団ヒステリー性に基づくものが、男（オス）を戦争、レイプに駆り立てるのではないか、という仮説である。それは私がこれまで述べてきたことの延長線上にあるものである。と同時に、ある程度の科学的根拠もそこに加えての仮説である。言い換えるなら、必ずしも肉体の思想から導き出された説ではなく、ＤＮＡレベルのそれも含んだものであり、人によっては単なる私の妄想に過ぎぬ、と受け取るかもしれない。

それはまず、地球上の生命が今から三十五億年前に生まれた、というところから始まる。私も一応それを目安とするが、私は宇宙年齢が一五〇億年という説を、そこが四次元（時間も空間もない、あえて言えば、無であり無限であるような世界）であるが故に、それは取らぬが、宇宙が無限に向かって膨張しているという説は取る。それがあたかも宇宙の意志だとすれば、地球上の生命もまた、その意志を受け継いでおり「生命の意志」として膨張する、つまり「進化」として力への意志に向けて「生を上昇」させているのではないか、という仮説である。

生命はその始まりにおいて、始原細胞（単細胞）として生まれ、細胞分裂することによって複製化する母体細胞と見ることができる。母体とは生命の基体という意味であって、それは言い換えれば、基体・母体細胞ということである。しかしこの進化では「生命の意志」としての膨張である「生の上昇」としては余りに遅く、やがて「生命の意志」は一部の基体・母体細胞内に、生殖細胞としてのオス細胞を内包させ、その生殖によって進化の速度を速めるに至った。そしてその進化はさらに、母性（メス）細胞とオス細胞とに分裂するに至り、生命の一部はメス・オス化し、その生殖によって進化を早めたのだが、それと同時に「生命の意志」の底部に明確な「力への意志」としての生殖力が芽生えることになったのである。

つまり強い複製体（子孫）を残すために、一個の母性細胞（卵子）の中に生殖細胞としての、無数のオス細胞（精子）が争って侵入する（レイプする）ことを、一部の生命は宿命とするに至ったのである。このことは、一個の卵子に無数の精子が侵入しようと群がる映像を、御覧になった方もおられるだろう。

これが「生命の意志」が進化として行き着いた一つの終結点であり、生命は強い複製体（子孫）を残すために、精子（オス）は一個の卵子（メス）を求めて生殖するために、闘争することになったのである。

この事実は、もともとオスという存在は、メスという基体・母体細胞を、生殖によって強い複製体を残すための役割しか与えられておらぬ、ということである。

それが一部の生命に与えられた生の上昇としての宿命である。つまり「生命の意志」からすれば、基体・母体細胞が主役であって、オス細胞は脇役に過ぎぬのである。

だがそれが、オス（精子）が一個のメス（卵子）をめぐって、争い闘いメスを生殖させるために、その中に侵入する（レイプする）ことによって、生命を進化に向けて上昇させようとすることを、オスは本能に持つことになり、それが「権力（力）への意志」としてオスが帯びなければならぬ生殖的集団ヒステリーとしての「狂気」の宿命である。ここに生の膨張としての「生命の意志」として、半ば必然的にオスが権力としてのメスをめぐって、狂気の思考をもって闘争しなければならぬ遠因がある（そして結論を先に言えば、ここに女が狂気に基づく天才を生み出せぬ理由がある）。

これが超歴史的古層（ＤＮＡ）、すなわち四次元生命の記憶層の深部（ＤＮＡ）に記憶され、それが進化によって動物（サル）の内部に蓄積されることになり、さらにヒトに進化すると、男はオスのもつ生殖的集団ヒステリーと同時に、闘争本能的価値に宿る肉食動物的集団ヒステリーの両者を帯びることになる。

このことは、男は普段、理性（三次元身体）の下に社会的価値を生み出し、その下で社会生活を営んでいるが、その下部（四次元身体）には、「力への意志」のもつ生殖的集団ヒステリーが潜んでいる、ということである。そしてそれはすでに述べたように、一個の卵子に――それが精子にとっては権力の座であるかのように――向かってその中に進入しようと（レイプしようと）することになるのである。男はその本能的価値を、超歴史的古層（DNA）、つまり四次元身体に持っているということであり、従って一度《ひとたび》、理性による社会的価値が戦争等によって崩れれば、男は半ば生命のもつ狂気の本能の思考としてレイプに走ることになる。つまり男は無意識にも精子の持つ、卵子という権力を犯そうとする力への意志としての生殖的・肉食動物的集団ヒステリーを内包している、ということである。そのことは、そうした集団ヒステリーを内包する男（オス）は、権力のために（レイプのために）「考える」能力を発達させたのに対し、権力そのものである女（メス）は逆に「権力への意志」を持たず、「考える」能力を発達させなかった。女にできたのは、権力への意志を持つ男が作った社会の仕組み、思想等をマネし、また本来、生命としての権力そのものであったはずのメスは、——それは日本神話に見られる天照大神《あまてらすおおみかみ》のように——権力を失うことで、かえって、それを取り戻すという奇怪な思想行動を取らねばならぬことになったのである（たとえば男女の平等権等）。従って女は、その超歴史的古層（ＤＮＡ）に「考える」ための生殖的集団ヒステリーとしての「狂気」を持たない。そのことは女ニーチェ、女三島、女マルクス、女ヒトラー、女スターリン等を生み出すことはない、ということである。それが良くも悪くも進化の行き着いた一つの到達点である。

その意味での戦後日本人の平和ボケは、単なる平和ボケではなく、オス化の退化である。それを平和でいいと考える人は、ヒトはオス化の狂気による戦争によって初めて「考える」ことができたのであり、世界はオス化の退化による日本人のように「考える」能力ゼロではない、ということを意味する。つまり世界の男たちは、彼らのDNAに潜んでいる精子の本能が帯びる集団ヒステリーの力によって、侵略しようとする意志を、内面に忍ばせているということである。

それを戦後、本能的直観として唯一分かっていたのが三島である。彼は虚弱体質者として生まれたが、神秘体験によって、精子が孕む力への意志のもつ生殖的・肉食動物的集団ヒステリーに行き当たり、精子の持つ宿命である、闘って死ぬことを自らに課したのである。彼は檄文に書く。

「日本を日本の真姿に戻して、そこで死ぬのだ。生命の尊重のみで、魂は死んでもよいのか、生命以上の価値なくして何の軍隊だ」と。これは死に行く精子としての男（オス）の誇りである。

それを戦後、日本人はオス化の退化と共に、「考える」能力を失った鳩頭には、彼の言っていることはさっぱり分からなかった。そしてその先にある亡び行くこの国土のことも。その意味では、三島が「日本を真姿に戻して」と言っているように、もはや戦後に日本など存在しない、ということである。戦前の日本人は（たとえ虚構〔嘘〕として作られたものであったとしても）、日本国に対し、また日本人であることに誇りを持っていた、ということである。

あとがき

男（オス）は、その精子の孕む狂気の思考によって目先のことしか考えない。特に顕著なのが西洋文明の自然を破壊する思想である。そしてそこから派生してくるのが戦争である。

人類史はわずか数千年であるにも拘わらず、戦争史に外ならない。そうであれば――女（メス）が本来の権力（天照大神のような）を取り戻すような奇蹟でも起こらぬ限り――人類は一万年後には亡んでいるか、さもなくば、生き延びていたとしても細々としたものであろう。

人類史など宇宙史から見れば「無」にも値しない。つまり、人類は己の小ささが少しも分かっていない。そしてそのことは、私の著作は永遠に理解されぬことを意味する。

著者プロフィール

堀江 秀治（ほりえ しゅうじ）

昭和21年生まれ。東京都出身、在住。
慶應義塾大学を卒業、その後家業を継ぐ。
特筆に値する著書なし。

天才と狂気との関係について―我が狂気―

2020年6月15日　初版第1刷発行

著　者　堀江 秀治
発行者　瓜谷 綱延
発行所　株式会社文芸社
〒160-0022　東京都新宿区新宿1-10-1
電話　03-5369-3060（代表）
03-5369-2299（販売）

印刷所　株式会社フクイン

ISBN978-4-286-21838-0